STREET POKER

Scénario : Pierre POIRIER

Dessin et couleur : Patrick HENAFF

Glénat
QUÉBEC

Catalogage avant publication de Bibliothèque et Archives nationales du Québec et Bibliothèque et Archives Canada

Poirier, Pierre, 1960-

    Street poker

    Bandes dessinées.
    Pour les jeunes de 13 ans et plus.
    Texte en français seulement.

    ISBN 978-2-923621-16-6

    I. Hénaff, Patrick. II. Titre.

PN6734.S77P64 2010   j741.5'971   C2010-941252-4

© 2010, Les Éditions Glénat Québec Inc.

Les Éditions Glénat Québec Inc.
9001, boul. de l'Acadie, bureau 1002, Montréal, Québec, H4N 3H5

Dépôt légal :   2010 – Bibliothèque nationale du Québec
               2010 – Bibliothèque et archives du Canada

ISBN : 978-2-923621-16-6

Nous reconnaissons l'aide financière du gouvernement du Québec par l'entremise de la Société de Développement des Entreprises Culturelles (SODEC) pour nos activités d'édition.

Achevé d'imprimer en Italie en septembre 2010 par L.E.G.O. S.p.A.,
sur papier provenant de forêts gérées de manière durable.

QU'EST-CE QUE TU ATTENDS, DIEGO ?...
TU BLUFFES VALOIS!!!
T'AS RIEN DU TOUT
C'EST ENCORE UN DE TES COUPS FOIREUX!
EH BIEN IL FAUT SUIVRE...
TU PEUX GAGNER LE TOURNOI SUR CE COUP...
NE ME DIS PAS QUE C'EST TROP RISQUÉ POUR LE GRAND BRIAN DIEGO!!!
LA FERME, VALOIS!!!

MONSIEUR VALOIS!!!

BONSOIR BENOÎT.

FÉLICITATIONS, NOUS AVONS APPRIS POUR VOTRE VICTOIRE. EXCEPTIONNEL!!!

MERCI BENOÎT.

VOTRE TABLE HABITUELLE ?...

S'IL VOUS PLAÎT.

VOUS ÊTES BIEN STEVE VALOIS ?...

MON NOM EST ERICA LANDRY...

J'AI BESOIN DE VOUS...

ATLANTIC CITY

C'EST LA MAISON QUI VOUS L'OFFRE.

MERCI.

JE TE LE DIS!

IL NOUS A TOUS BATTU UN APRÈS L'AUTRE.

J'AI JAMAIS VU ÇA!!!

UN PETIT GARS DE DIX ANS...

TU TE MOQUES DE MOI ?...

NON!!! IL JOUE AU POKER COMME UN PRO.

EXCUSEZ-MOI, MAIS J'AI ENTENDU UNE PARTIE DE VOTRE CONVERSATION...

VOUS PARLIEZ D'UN JEUNE GARÇON QUI JOUE AU POKER ?

IL FAIT PAS JUSTE JOUER, IL GAGNE TOUT LE TEMPS! SANS ARRÊT!!!

EST-CE QUE C'EST POSSIBLE DE JOUER CONTRE LUI ?

IL EST ICI...

... AVEC SON PÈRE...

..."CHAMBRE 746."

ROOM SERVICE!

?!?
...

SA PHOTO COMMENCE À PEINE À CIRCULER.

LAISSE LE TEMPS À LA NOUVELLE DE S'INSTALLER.

J'AURAIS PEUT-ÊTRE DÛ PARLER D'UN HÉRITAGE DE 200 000 DOLLARS, AU LIEU DE 100 000...

T'AURAIS JUSTE EU PLUS DE SANGSUES.

NON.

SI LE PÈRE DU PETIT EST PAS LOIN, IL VA RÉAGIR...

... IL Y A PAS UN JOUEUR DE CARTES QUI CRACHERAIT SUR UN MAGOT PAREIL.

EN ATTENDANT, JE VIENS D'AVOIR DES NOUVELLES DE PEDRO.

IL A ENTENDU PARLER D'UN CERTAIN DANNY BRANDON QUI RESSEMBLE AU TYPE DE LA PHOTO...

... C'EST PEUT-ÊTRE LUI.

IL AURAIT CHANGÉ SON NOM ?

POURQUOI PAS ?

ÇA EXPLIQUERAIT POURQUOI ERICA NE L'A JAMAIS RETROUVÉ.

IL SE TIENT RÉGULIÈREMENT DANS UN PETIT BAR DE MIAMI SUD...

"... LE FLAMINGO POUND."

JE PEUX SAVOIR CE QUE TU FAIS ?

JE REMPLACE LE PETIT.

T'AS PAS LE DIXIÈME DE SON TALENT.

VA FINIR TA BOUTEILLE DE WHISKY...

... ET LAISSE NOUS JOUER !

JE SAIS QU'IL EST TÔT MAIS... JE CROIS QUE JE VAIS VOUS LAISSER TERMINER SANS MOI

DÉJÀ ?

J'AVAIS UNE AUTRE PARTIE DE PRÉVUE CE SOIR... ÇA SERA L'OCCASION DE ME REFAIRE.

J'AI UN PROBLÈME AVEC LE CHIEN...

... IL SAIGNE DU MUSEAU...

RRRRRRRR

HA HA HA

QU'EST-CE QU'IL
Y A DE DRÔLE ?

J'AI LAISSÉ
TOUT MON ARGENT
SUR LA TABLE.

ÇA ?

IL COMMENCE ÊTRE TARD,
MAIS JE CONNAIS UN ENDROIT
OÙ L'ON VA POUVOIR JOUER
AVEC DES VRAIS PROS.

ÇA S'ARRANGE.
JE M'APPELLE ALEC.

JE PENSE QUE
JE CONNAIS QUELQU'UN
QUI SERAIT TRÈS CONTENT
DE JOUER CONTRE TOI.

DES GARS DIGNES
DE TON CALIBRE,
VALOIS.

ÇA TE TENTE ?

JE SAIS PAS
CE QUE JE DONNERAIS
POUR ENFIN FAIRE FACE
À UN ADVERSAIRE
DE MA TREMPE.

S'IL EST DU CALIBRE
DE CEUX DE CE SOIR...

DEMAIN SOIR, 23 HEURES.
SOIS DEVANT CHEZ TOI.
APPORTE BEAUCOUP,
BEAUCOUP DE CASH.

QUI EST
CELUI QUI VA
SE FAIRE PLUMER ?

MON PÈRE...

...VLADIMIR MANCHESKY.

PAS ICI!!!
ALLONS CHEZ MOI!
IL Y A ENVIRON UN MOIS, LORS D'UNE PARTIE CHEZ MANCHESKY,
J'AI PERDU 35 000 DOLLARS.
IL M'A DONNÉ UNE SEMAINE POUR TOUT REMBOURSER.
C'ÉTAIT IMPOSSIBLE,
IL ME FALLAIT PLUS DE TEMPS.
MANCHESKY A OFFERT UN QUITTE OU DOUBLE.
IL OUBLIAIT MA DETTE SI JE JOUAIS UNE DERNIÈRE PARTIE AVEC LUI.
L'ENJEU : MON FILS...
QUELLE ORDURE!!!
COMMENT A-T-IL SU POUR LE TALENT D'ANTOINE ?
JE NE SAIS PAS.
J'AI TOUJOURS ÉTÉ DISCRÈTE...
J'AI AUSSI DEMANDÉ À ANTOINE DE FAIRE ATTENTION À L'ÉCOLE,
OU AVEC SES AMIS.
VRRRRRAM...
VRAAAAAAA